초록세상으로

초록세상으로

민점기 시집

문학들

시인의 말

우리 민족의 전통문화를 엿보다
그 속에 스며 있는
애틋하고 따스한 그리고 웅혼한
민중들의 삶을 보았다
어여쁘고 씩씩한 노래를 들었다

노조활동 진보활동의 길에서
어깨 부비며 함께 걷다가
더불어 노래하는 법을 배웠다
때로는 나지막이 때로는 호쾌하게

우리들 노래와 몸짓 속에 깃든
우리 민족의 고귀한 전통과 얼을
잘 보듬어 발전시켜 나가고자 한다

역동적인 힘으로 줄기차게 전진해 온
우리 민중들의 참 목소리를
잘 엮어내어 초록세상으로 나아가고자 한다

2008년 9월 민점기

차례

제3부

시인과 웅변가

제4부

금화조

제5부
물총새와 물총고기

제1부
두꺼비들의 항변

만복사지 금강역사 1

남원 만복사지 도로변 철망에 갇혀
목덜미만 내어놓은 금강역사는 답답하다

땅 기운 뭉친 곳에 널따랗게 터 잡아
석불 석탑 목탑 함께 금강석불 세웠는데
하늘 높이 솟은 당간지주 바위 앞에
자비세상 넘보는 악마구리 무찌르려
쭈욱 빠진 근육 몸매 금강석불 세웠는데
만복사 불탄 후로 금강역사 한심하다

처녀혼령 사모한 총각의 애절한 사랑 담긴
만복사저포기 이야기 함께
석불 석탑 당간바위는 제 모습을 지키건만
철망에 갇히고 흙더미에 묻힌
금강역사는 답답하다

긴 호흡 큰 호통으로 바위산 뽑아내던 힘
보이고 싶다 금강역사는
목덜미 위로만 보이는 맛보기 힘 말고

팔다리 어깨 알통 근육 속에 고여 있는
태풍 같은 힘 파도 같은 힘
보이고 싶다
하여, 악마구리 득실거리는 고얀 세상을
측은지심 샘솟듯 솟아나는 희망세상으로
지키고 싶다

만복사지 금강역사 2

때가 되었기에
나 깨어나리
떨쳐 일어서리

꿈틀대는 근육
힘줄 마디마디에
기운을 불어넣어

흙더미 압박포승
팔뚝만한 철망살
우지끈 끊어내고
단숨에 벗어나리
단번에 일어서리

이 땅에 노동자 농민
억압받는 사바대중
옥죄는 사슬
한 파람에 끊어내리

이팝나무는 알고 있다
 – 여순항쟁제57주기추모 위령제에서

이팝나무는 알고 있다
사월이면 하얀 꽃구름 피워 올려 흰 상여 만드는
광양읍 유당공원 이팝나무는 알고 있다
57년 전 여순항쟁 기막힌 사연 한 맺힌 이야기를
보고도 못 본 척 듣고서도 못 들은 척
벙어리 냉가슴으로 살아온 고통 아픔들을

이팝나무는 보았다
유당공원 여기저기에 널브러진 주검들을
남편과 아들의 주검 찾아 헤매던
아내와 어머니의 울부짖는 모습들을
엄마 등에 업힌 채 소스라치던 아가들을
이팝나무는 훤칠한 키 커다란 눈으로 분명 보았다

이팝나무는 들었다
여기저기서 들려오던 비명소리를
화신광장 반송쟁이 가마고개 백운산 초남포에서
바다 건너 여수 만성리 애기섬 민드라미 골짝에서
순천에서 고흥에서 보성에서 구례에서

고막을 찢어올리던 총소리 아비규환의 비명소리를
이팝나무는 크고 예리한 귓바퀴로 정녕 들었다

부끄럽구나 이팝나무야
피에 굶주린 이리떼로 형제의 목숨을 사냥했던
그날 그때의 잔인함이 부끄럽구나
사상과 이념을 핑계삼아 부모형제 친구를
죽음으로 몰아친 그 날의 어리석음이 부끄럽구나
진실을 알고서도 입 꾸욱 다물어 화해를 외면해온
우리 살아있는 자들의 비겁이 부끄럽구나

이제 어리석고 비겁한 마음들이 뒤늦게 모여
변명의 기회마저 빼앗긴 채 주검이 된 영령들께
머리 숙여 용서를 구하나니
주검마저 거두지 못해 구천을 떠도는 외로운
혼백들께 위로를 드리오니
맺힌 감정의 손가락질 한 방에 묶여간 사내들이여
속치마 바람으로 끌려간 어머니와 누이들이여
이불 속 꿀잠 속에서 까무라친 어린 영혼들이여

서로 총칼 겨누다가 불귀의 넋이 된 젊은이들이여
부디 억울함과 원통함 미움을 풀고 화해하소서
외로운 방황을 멈추고 편안히 잠드소서

이 땅을 지키고 견디어온 우리 살아있는 자들의
어리석음과 게으름 비겁함을 용서하시고
권력과 이념 돈과 자본 그 무엇도 이제 다시는
사람 위에 서지 않는 세상이 되도록
생명과 인권이 짓밟히지 않는 세상이 되도록
도움주소서
이 땅 민중들이 공명정대하게 제 몫을 차지하도록
온 민족이 하나 되는 대동 세상 열어가도록
우리 함께 진실과 화해 상생을 실현해 가도록
이끌어 주소서

희생된 영령들이시여, 부디 편안히 잠드소서

유골 옆에서

도선국사 일어나소서
천 년의 잠
깨어나실 때 되었습니다

당신이 점지한 햇살 따사로운 땅
열리고 있습니다
명당의 기운은 산에서 시작하여
들판으로 강으로
바다로까지 뻗쳐 흐릅니다

무심한 세월이라 탓하지 마소서
아마 님은 천 년의 세월 후에사
깨어나실 줄 벌써 아셨으리다
한 번의 천 년이 가고 또 한 번의
천 년이 오리라는 것을 벌써 아셨으리다

도선국사 깨어나소서
안개 자욱한 물가에서 먼동 트이길
기다리는 어린 중생들에게

깨달음의 물길 열어주시고
당신의 육신 간수해 온 햇살 바라기 땅에
새로운 지평을 환히 밝히소서

파아랗게 이끼 오른 석관 속에 선연히
남아 있는 당신의 굵고 바른 척추처럼
새로운 바닷길 새로운 천 년을 열어가는
이 땅의 힘줄 굵은 민중들에게
굵고 바른 뼈 매듭 허리가 되어주소서

도선국사 孝行記

햇살 포실한 겨울날
도선국사 장삼소매에
홍시 두 알 받쳐 들고
광양 땅 운암 골
백계산을 오르시다

백두 묘향 태백 지리 내장 무등 조계 백운
백두대간 호남정맥을 한 달음에 내리 지치던
걸음새 접어두고 한 땀 한 땀 수를 놓듯
정성어린 발길 고웁다

짙은 안개 풍랑 사납던 어둠의 바다
건너 저편까지 내어다 보시는 지혜의 눈
지그시 내리감고
백계산 7부 능선 어머님 암자를 찾으시다

천하 명당 백운산 옥룡사에 드신 이후
말을 잊어
말 없는 말 법 없는 법으로

수백 제자를 길러 오신 임
비로소 입을 열어
어머님, 하고 소리 하신다

햇살 포실한 겨울날
장삼소매에 홍시 두 알 받쳐 들고
한 땀 한 땀 수를 놓듯
도선국사 백계산을 오르시다

매천 황현의 만수동 편지

북풍받이 산골마을 만수동 꼭대기 집
오동나무 아래에서 나는 보고 들었노라
귀신나라 미치광이 짓들을
간교한 정신의 횡행함과
잔악한 무리들의 방자함을
고약한 인심과 똥 내 나는 심보들을

조막만한 얼굴에 쏠린 눈동자 가졌다고
삐딱한 눈매로 흘겨보지 말 것이
내 본시 반듯한 눈매를 가졌었거늘
득실거리는 때 귀신 미치광이 짓 보다 못해
동공의 쏠림이 있었노라
기울기 심한 세상 똑바로 쏘아보다
눈자위 물러터지고 삐뚜름 되었노라

남원 구례 벌 넘어오는 소소리 바람
온 몸으로 버텨내다 뼈 속 마디마디
늦가을 된서리 무 바람 들었노라
강 건너 덩치 큰 산 울음소리 듣다듣다

창자가 삭았노라

내 오늘 산야에 묻힌 몸이
세상 꼬락서니 하 우스워 몰래몰래 기록하다
피울음 울며 써내리다가 몇 자 적어 띄움은
이담 세상 사람들은 정신 똑바로 챙겨서
시도 때도 없이 불어 닥치는 미친 바람
너끈히 받아넘기길 소원함이라

기울기 심한 세상에서 강단진 매무새와
꼿꼿한 눈매 고이 간직하길 소원함이라
더도 말고 덜도 말고 일 백 년 쯤 후에는
심지 곧은 공직자들 방방골골 제자리에 들어앉고
눈매 반듯한 젊은이들 빼곡이 들어차서
제대로 된 나라 꼴 한 번 세워주길 바람이라

우울

난 요즘 고 이균영 선배 땜에 우울하다
한없이 바르고 맑고 고웁고 힘찬 사람이
가을바람 소슬하던 날 희뜩이는 마른번개 속을
하양 나비되어 훌쩍 날아가 버렸다

떠나가기 며칠 전 우린 느랭이골 농원에서
다섯 종류 술에 다섯 가지 맛을 내는
오미자주를 맛보며
인생살이 시고 달고 쓰고 맵고 떫은맛을
단번에 알아채었는데

백운산과 섬진강 광양만의 앞날을 점쳐보며
백운산 농장 개척사와 한말 의병활동과
빨치산 항쟁사를 얘기하고
곰 같고 너구리 같은 농원 주인과
박달나무처럼 단단한 막내아들 아이에게
감탄과 부러움의 눈길을 보내었는데
참, 우울하다

아마도 저쪽에서 이균영 선배만큼 꼭

그만큼 맑고 곱고 힘찬 사람이

꼭 한 사람 필요하여 모셔간 게 분명하지만

그토록 자랑하고 싶던 백운산 이야기며

광양 땅 이야기는 어떡하실려나

못다 한 광양자랑 못다 이룬 붉은 꿈

지그시 깨물고서

이따금씩 찾아 오시겠지요

따순 봄날이면 나래 활짝 펼친 큰 나비되어

백운산 상상봉으로 등허리에 솟은 억불봉으로

초남포로 섬진 나루터로 수어천 언저리로

햇살 눈부신 광양만 바닷길로

언뜻 언뜻 날아 오시겠지요

두꺼비들의 항변

행진

광양 땅 섬거에 사는 두꺼비들이 으스름 달밤, 마을 동편 장승배기를 지나 엉금엉금 불암산을 기어오른다. 탄치비촌 어치 인근 마을 두꺼비들도 불암산성으로 모여들어 뒤를 따른다. 섬진나루 시오리 산길을 수 만 마리 두꺼비떼 밤을 도와 나아갈 때 기침 소리 하나 없이 행렬이 정연하다. 느랭이재 넘어서자 강 내음 후끈하여 걸음 더욱 바빠져서 잘뚝잘뚝 뜀박질에 떼구르르 몸을 굴려 강을 향해 나아간다. 눈알 잔뜩 부라리고 목덜미 볼록볼록 가쁜 숨을 몰아쉰다. 강변마을 두꺼비들도 재 넘어 들려오는 헐떡임 숨소리와 장중한 발걸음에 난리 치를 낌새를 잽싸게 알아채고 일시에 모여들자 섬진나루는 수 십 만 두꺼비떼로 장사진을 이룬다

싸움

먹장구름 속으로 가느란 달빛도 숨어들어 칠흑같이 어둔 밤 역류하는 바닷물 따라 피 냄새 번져온다. 차르락 차르락 노젓는 소리 규칙적으로 들려오더니 선박 수 십 척 슬그머니 나타난다. 검은 옷 왜구들 상투잡이 작은 얼굴에

피 웃음 찔찔 흘리며 칼집을 거머쥔다. 섬진나루 이곳은 강 바위 툭 내밀어 물길이 굽이치고 밀물과 썰물이 호되게 마주치는 곳 규칙적이던 놋소리가 지그재그로 흐트러지며 고요한 뱃전에서 꿍꿍소리 터진다. 때는 이 때다! 수십만 마리 두꺼비 와─악 울부짖으며 물속으로 뛰어든다. 느닷없는 함성에 상투 끈 터져나간 왜구들 품 속으로 두꺼비들 달겨든다. 불알 물어 제끼는 놈 뱃살가죽 핥는 놈 입 코에다 오줌을 깔기는 놈 눈두덩에 독기를 쏘아대는 놈 혼비백산 왜구들 칼 잡을 겨를 없고 노 저을 정신없이 물 속으로 곤두박질 남김없이 스러지다.

핀잔

人心은 朝夕變, 시대물결 따라 사람들 마음이 요동치게 마련이라, 두꺼비 의거를 놓고 후대 인간들이 이러쿵 저러쿵 찧고 까발리다.

고려 말 우왕 때는 나라꼴이 말이 아니어서 우리네 인간 살이가 짐승 벌레만도 못하였다지만 아무리 그렇기로 추물스런 두꺼비들이 설레발을 쳐대며 만물의 영장인 인간을 딛고 올라 영웅대접을 받아먹고 있다는 것은 우습다. 하찮은 두꺼비들이 습기 많은 장마철을 틈타 꾸무럭한 처소에서 떼 지어 몰려나와 강바람을 쐬었기로, 강물에 들어가 놀다가 근력이 남아돌자 지나가는 뱃전에 한꺼번에 기어오르는 호기를 부렸기로 뭐 그리 대단한 일인 양 법석을 떤다는 말인가, 설혹 심장이 약한 왜구 몇몇 놈이 까무라쳤기로 두꺼비 의거니 뭐니 하며 강 이름의 주인공으로 행세해 온다는 것은 소가 웃을 일이요 두꺼비가 하품할 일이다.

항변

섬진강 두꺼비들, 촉수가 막혀 한동안 멍하니 배만 볼록거리다가 날렵한 혓바닥을 내둘러 입맛을 다신 후 항변에 나서다.

본래 우리 두꺼비들은 남들이 거들떠보지 않는 축축한 풀섶에서 여름 한 철을 조용히 지내면서 힘없고 가난하나 맘씨 고운 콩쥐 같은 사람들 돕는 것을 자랑삼아 살아오다. 생김새는 험하여도 우툴두툴한 구멍마다 타고난 복이 들어 있어 떡두꺼비 복두꺼비 이름은 바로 사람들이 붙여

준 이름이요 비장의 카드인 독침을 지녔으나 생명이 먹히기 전에는 쓰인 일이 없어라. 아, 인간님들이여! 오죽하면 지지리도 둔하고 못난 우리가 나섰을까 징글맞은 싸움판에 통째로 몸을 던져 나룻목을 지켰을까 공치사는 고사하고 두꺼비 하품 운운하며 모욕을 주더니만 이제는 황소개구리 풀어놓고 독극물 흘려대어 우리네 두꺼비 씨를 말려 가는구나.

그나마 다행스러워라! 흙냄새 나는 우리 이야기 유래비에 새겨지고 돌조각으로나마 버팅겨 앉아 어려운 시절마다 떨쳐 일어선 민초들의 의거를 전해주게 되었으니

용지마을 큰줄다리기

태동

숨차게 내달아온 백두대간이 호남정맥으로 휘돌아 솟
구치다 섬진강 마지막 물줄기를 얼싸안고 남해바다로 빠
져드는 곳 태인도

물 좋고 뻘밭 좋아 물 반 고기 반 조개천지 이곳도 임진
왜란 병자호란 두 차례 난리 맞아 가난과 궁핍이 문전마다
칠칠하던 차에 태인도 김씨 어른 고소하고 기름진 바다풀
건져 올렸네 섬 사람들 너나없이 바다풀로 입맛 찾아 희멀
건 얼굴에 번지르 기름 끼고 곰발딱지 아이들 헛바늘도 수
그러 꿀잠에 젖어드네 닻줄 감아올리는 뱃사람 팔뚝마다
불끈 힘을 얻었네

비바람 알맞게 뿌려주어 바다풍년 들던 해 사람들 돌담
장 너머로 생선국 조개부침 정겹게 나누다가 고마움 넘쳐
나네 바다풀 건져 올린 김씨 어른 고맙고 바다풍년 도와주
신 용왕님네 고마워라 마을 앞 연못가에 고사잔치 벌일 적
에 기왕에 벌인 판 큼직하게 벌여서 용왕님네 기쁨 되고
마을사람 흥겨웁게 힘자랑도 하여보세 이구동성 외치며

귀하디귀한 볏짚 단을 들고 나와 아름드리 큰 줄을 만들기
시작하네

용틀임

정월 초사흘, 김 작업 바쁜 철에 한사코 짬을 내어 줄
만들기 열중이라 초아흐레 넘어가니 머리 몸통 나오고 열
이틀 넘기어 꼬리마저 나오네 아이들은 벌써부터 안마을
선창마을 두 패로 갈리어 골목을 누비며 골목줄다리기 신
나고 우물가 아낙네들 빨랫돌 뒤집느니 물동이 다 못 채워
도 시어미 꾸지람 부드럽네 건장한 사내 두엇 칼을 품고
숨어들어 상대방 싸움 줄에 칼침을 노려하나 지키는 눈들
이 매워 칼침 해코지는 미수에 그치구나

드디어 정월 대보름, 해가 지기 전에 뱃속을 든든히 채
웠고 처가 집에 나가있던 송 서방도 돌아왔다 달이 솟아오
르자 김풍작 어장풍년 승리 기원제를 공들여 모시고서 농
악대 앞세워 줄메기꾼 나아갈 제 우이여-헤- 줄소리 우
렁차다 황룡 청룡 맞닥뜨려 우우 우우우 기세를 북돋우며
부딪힐 듯 비끼고 만나줄 듯 물러나며 애간장 녹이다가 황

룡 암줄 청룡 숫줄 마침내 엉크러져 가쁜 숨을 몰아 쉬네
맞부비고 어르다가 달이 더욱 밝아오자 징소리 신호삼아
시작된 줄다리기, 준비한 공력만큼 승부도 길고 길다 영-
차 한 소리에 온갖 기운 한데 모아 영-차 또 한 번에 스러
진 힘 다시 솟다 줄 깔고 잠시 버텨 뜨거운 김국으로 추운
속을 뎁히고 얼부푼 손발일랑 횃불로 녹여가며 새벽서리
내리도록 용틀임 이어지다

어둠에서

설움 짙을수록 걱정거리 많을수록 줄다리기 마당엔 투
지와 해학이 해일처럼 일렁이고 큰줄마당 신바람 자자손
손 이어져 만선 기쁨 김 풍작 즐거움 기사년 광양민란 갑
오 동학혁명 나라 빼앗긴 경술수치 작은 기쁨 큰 설움을
한데 엮어 당기고 줄소리로 풀어오네

큰 줄은 큰 힘이라 총 칼 든 일본헌병 기회를 노리지만
우이여-헤 기찬 줄소리에 놀래어 어찌하지 못하더니 태평
양전쟁 함포사격 때맞추어 우르르 달겨들어 큰줄마당 뒤엎
고서 용의 머리 가져가네 아, 1942년 정월 대보름날은 달

도 까무라쳐 어둠 속 어둠이라 우물가 아낙네들 두레박질
맥 풀리고 줄다리기 신명 가슴에 묻은 사내들 술병만 깊어
가네 동네 아이들 쥐불놀이 깡통불도 피지직 사그리네

　다시 빛으로
　어둠은 또 다른 어둠을 잉태하기 마련이라 수 년 후 나
라 찾은 들뜸 속에 가까스로 잔치마당 찾았으나 황룡 청룡
일깨울 물과 구름 바람 없어 용틀임 꿈만 같고 우이여-헤
줄소리 전설이 되어가네 우악스레 짓눌린 숨통 잇따르는
재앙 회오리 돈바람에 줄소리 노래할 용기를 못 내던 차에
공장 굴뚝 세우느라 용지연못 메워지고 전설마저 묻히네
50년 어둠세월 줄메기꾼 청년들이 꼬부랑 할배되어 하나
둘 떠나가고 줄다리기 부활마당 영영 가망 없더니만 청룡
등 언덕에서 쥐불놀이 꼬마동이 노래소리 들려오네

　안몰 맹꽁이야 줄이나 한 번 걸어도라
　선창몰 맹꽁이야 줄이나 한 번 걸어도라
　우리 줄은 쇠줄이고 느그 줄은 썩은 새끼줄
　우리군사는 녹두장군 느그 군사는 콩나물깍두기

우이여-헤 우이여-헤 우이여-헤 우이여-헤

　때마침 동네 어귀 찾아들던 나그네 바람결에 실려온 줄
소리에 반해서 줄꾼 할아범들 눅눅한 가슴에 군불 지피우
네 짓눌림 무겁고 맺힘 깊었나니 일어남 격렬하고 풀림이
시원하여 할아범들 숯가슴 잉걸불로 타오르고 어둠 속에
눌린 신명 폭포수로 터져나네 아, 들말 형국 용지마을 큰
줄마당에 삼베 실 줄 걸리듯 줄이 걸리어 삼겹 삼겹 아홉
가닥 줄이 걸리어 할아범 아들 손자 삼대가 한데 모여 줄
을 만드네 큰줄다리기 부활마당 쭈욱-쭉 뻗어오른 대나
무 꼭대기로 황색청색 응원 깃발 펄럭펄럭 일어서네

　비상
　새벽이 열릴 때는 희미한 빛이지만 햇살 한 번 뻗어나
면 천지간 만물을 순간에 깨우듯이 줄다리기 신바람 할아
범들 가슴을 단숨에 뎁히더니 이 마을 저 고을 마주잡은
손길들을 큰줄마당 한 식구로 일시에 엮어내네

　자 이제 우리, 줄을 메고 나아가세 넓은 어깨 줄꾼 목청

좋은 소리꾼 일 만 군사 몰아나갈 줄 대장을 얻었으니 백
두대간 호남정맥 백운능선 빼어 닮은 큰 줄을 메고 가슴
저고리 풀어헤치고 바지 걷어 부치세 불끈 힘줄 솟은 팔뚝
두름 엮어서 둥 둥 둥 북 울려 신명 한 판 세상으로 호기롭
게 나아가세 오, 가슴 속 신명봇물 터져나네 오, 울리네 우
이여-헤 줄소리 태산을 밀어내고 파도를 불러내는 웅혼
한 소리 암줄 숫줄 엉크러지는 은근한 소리 천둥 번개 몰
아오는 용울음 소리 오, 줄다리기 마당에 신바람 일어나네
하늘 땅 화답하여 황룡 청룡 일어서네 몸통 비늘 곧추 세
우고 긴 긴 꼬리 휘둘러서 비바람 일으키고 구름 안개 몰
아와 하늘 높이 솟구치네

제2부
한 알의 보리가 땅에 떨어져

불어올라라 서남풍

오랜 고요를 깨고 불기 시작한 서남풍
오, 얼마만이더냐 그 다숩고 화끈한 바람
늦바람 무섭다고 사람들 혀를 내두른다지
아서라 사람들아, 전국의 공무원 동지들아
서남풍 늦바람 크게 눈 떠 지켜보소

호남 벌판에 자리 잡은 먹구름 한 무더기
여지없이 밀어 제치고
다숩고 화끈한 바람 불어제칠 것이라
신발끈 조이고 허리끈도 고쳐 매었다
잔등 번지르한 말도 준비되었다

반드시 가야만 할 우리의 길
기막히게 아름답고 한 맺힌 길을
이제사 어깨 걸고 달려본다니
가슴 벅차 오르고 왈칵 눈물이 솟는고야

앞장서 불어제친 동남풍아 고맙구나
서울 벌판 지켜낸 올곧은 바람들아

늦어서 미안쿠나

서남풍 늦바람 늦어서 미안치만
이 바람 시작되면 미친 듯 불 것이니
공무원노조 신이 들린 신바람 될 것이니
전국의 동지들아 서남풍 지켜보고
사정없이 믿어주소

우린 욕지도로 간다

큰 산 무게에 짓눌린 가슴 풀어 제치러
길들여 닫힌 침묵 깨뜨리러
당차고 지혜로운 섬 욕지도로 간다
고래가 어떻게 큰 숨을 뿜어내는지
묶인 열정을 어떻게 단숨에
뱉어내는지 알고 싶어
우린 통영 앞바다 욕지도로 간다

울렁임 안고 살아온 세월들
처음 바다를 만난 구례 산골 소년이 되어
시이소 마냥 기웃거리는 뱃전에 몸을 맡겨
바닷물결과 함께 울렁인다
바다는 늘 적당한 파도를 만들어
뱃길을 열고 고기들의 숨을 자리 되고
갈매기들 놀이터 되고
가끔은 집채만한 파도를 만들어
제 몸 속을 평정한다
세상을 삼키곤 한다

자비 평등 연화세상 연화도와 나란히 앉아
세상 이치를 환히 헤아리는 욕지도
고래등 타고 넘어 고래머리에 이르러
해야 할 것과 하지 말아야 할 것을 터득하다
민중의 바다로 어떻게 뛰어내려
침몰할 것인지 하나될 것인지를 고민하다
코펠 밥을 뜸들이며 민중의 염원
어떻게 익혀갈 것인지를 뜸들이다

짓눌린 가슴 풀어 제치러
활력의 분수 뿜어대는 고래 닮으러
민중해방 평등세상 호기롭게 헤엄치러
우린 욕지도로 간다
당차고 아름다운 지혜의 섬
너른 바다 욕지도로 어깨 걸고 간다

한 알의 보리가 땅에 떨어져

꽁꽁 언 땅 우우우 일어서는 청보리
푸른 외침 듣는다
얼음장 뚫고 솟구쳐 오르는 발돋움 모여 청보리
마침내 초록 벌판 일구어 내리라
사월이 오면 청보리 몽실통통 허리통 뽐내며
실팍한 알곡으로 머리맡 오지게 채우리라

사월이 오기까지 청보리
동장군 주먹질에 시달렸어라
폭설에 머리통 사정없이 짓눌렸어라
날선 칼바람에 목덜미 앙칼지게 할퀴었어라
서릿발 얼음장에 온 몸 꽁꽁 옭매었어라

그 때마다 청보리
야무지게 일으켜 세운 주문 있었나니
"한 알의 보리가 땅에 떨어져 죽지 아니하면 한 알 그대
로 있고 죽으면 많은 열매를 맺느니라
많은 열매, 많은 열매를 맺느니라"
주문을 외우며 외우며 청보리 새싹들

어깨에 어깨 걸어 메고 폭설의 무게 견디었어라

목덜미 서로 감싸 안고서 매운바람 이겨내었어라

제 몸 태워 얼음장 녹여내고 작은 손 마주잡아

땅 속 깊이깊이 뿌리발 내리었어라

그리하여 땅에 떨어진 보리 한 알

수 천 수 만의 청보리로 태어났어라

산 기울기 따라 내리닫던 계곡물들이 바위벽 만나

온 몸 내어던져 찬란한 물꽃 만들어내듯

제 몸 주저 없이 내어던진 공무원노조 새싹들

우우우 일어서는 푸른 외침 겨울감옥에서 듣는다

사월이 오면 청보리

환상의 초록 춤사위

천지간에 넘실 넘쳐날 거다

수신불능 휴대폰번호를 지우며

011-761-2465 공무원노조 서울본부 고 김병진 본부장
의 휴대폰 번호를 지우며 인간세상사 존재의 가벼움이 마
냥 서럽습니다. 단 몇 번의 손가락 누름에 동지를 영영 잃
어버리는 것이 한심합니다

오십 고개를 앞두고 동쪽 변방에서 몸을 일으켜 강북
강서 강남으로 공직사회개혁 돌풍을 몰아치친 님이여, 난
공불락의 성 시청에 마저 공무원노조 깃발 멋들어지게 꽂
은 님이여, 문둥이 살처럼 문드러 으깨어진 절망하는 공직
사회에 희망차게 돋아나는 새 살이고자 새 빛이 되고자 천
지분간 없이 밤낮 가리지 않고 뛰어다니다 정작 당신 몸
상한 줄 몰랐구려

그러나 어찌하랴, 한심한 우린 병상에서 마저 공무원노
조 깃발 굳게 서길 그토록 갈망한 동지에게 죄인이 되었소
님의 굳센 뜻 힘차게 밀어 올리지 못하고 잠시 잠깐이나마
주저앉고 말았소 우린 정말 몹쓸 놈들이오 하여 동지가 더
욱 그리웁소 님을 보내는 게 더욱 서러웁소 사자처럼 당당
하고 호랑이처럼 포효하던 동지와 함께였더라면 멧돼지

처럼 돌진하던 동지와 함께였더라면 우린 지난 5월 쟁의 행위 투표 판을 그리 허망하게 내어주지 않았을 게요

　당신은 이제 더럽고 치사한 세상 보지 않아 좋겠소 참여 정부 팻말 휘황하게 걸어놓고서 참여훼방꾼 노릇하는 문둥이 자슥들 꼬락서니 보지 않아 좋겠소 앞에서는 손 내밀어 악수하면서 뒤통수 내리까는 발목걸이 딴죽걸이 명수인 수구 보수 협잡꾼들 그림자도 보지 않아 좋겠소

　하지만 오 동지여, 당신은 드높이 치켜든 공무원노조 깃발 절대로 내리지 않으리라는 걸 우린 압니다 고 이동현 고 임영덕 동지 함께 손잡고 공무원노조 깃발 힘차게 펄럭이며 물러터진 우리들 못난 발걸음 재촉할 것임을 우린 압니다 사자처럼 호랑이처럼 독수리처럼 무소의 뿔처럼 당당하고 사나웁고 호기로운 서울지역본부와 공무원노조 굳건한 앞 길 님의 혼령이 힘차게 열어주실 것을 우린 압니다

　오 동지여, 오늘 우리는 수신불능인 님의 휴대폰 번호

를 지웁니다만 눈물 보이지 않겠습니다 동지의 강건한 몸
짓과 우렁찬 호통소리 호쾌한 웃음과 다정한 손짓 가슴에
아로새기며 어금니 꽈악 깨물겠습니다 동지는 이제 먼 길
떠나갑니다만 우린 동지를 함부로 보낼 수 없기에, 동지의
넋 공무원노조 깃발과 함께 영원하소서

잠행

만나고 또 만나야 한다
권력이 우리 사일 떼어놓으려 할수록
지난 봄 총선 투표하던 날엔
붕어빵 천원 어치를 사들고 추월산이 되었다
이번 겨울 성탄일엔
초코파이 두 개를 챙겨서 대둔산이 되었다

하루도 빠짐없이 만나야 한다
권력이 우리 사일 갈라치기 할수록
천상과 지상 사이에 놓인 사닥다리를
타고 오르내리듯 동지들의 가슴을 딛고
오르락내리락 손을 마주잡았다

발길 닿는 곳마다 파출소이고
거리에 널린 것이 순찰차였다
거울에 비친 수상한 사내를 보고
흠칫 놀라고선 이내 멋적었다
그래도 늘 행운이 함께 잠행 중이라서
처음 위기를 벗어나 이후 줄곧 행복했다

초록세상으로

겨우내 억눌렸던 몸알 무더기로 터지는 함성
봄 기지개 봄 아지랑이
누런 황사 먼지 봄꽃들의 외출을 훼방 놓고
핏빛 흑비
언 땅 딛고 일어서는 의인들의
머리 위로 황망히 내리지만
뿌리 저 끝에 서럽게 뭉쳐둔 초록 꿈
힘차게 밀어올린 꽃대궁이여

몇 차례 긴 겨울을 우린 스스로 가두고 매질하여
아스피린에 찌든 신경 처진 몸뚱이로 서러웠건만
지금은 피어나는 봄, 오! 대지의 신이여
그대 뭉클한 젖가슴 늦잠 깬 우리에게 내어주어
초록빛 생생한 함성으로 일어서게 하라
봄은 저마다 준비한 만큼 오게 마련이지만
봄은 피망울 맺힌 우리네 아픈 꿈 완성은 아니야
암, 우리들 꿈은 열정과 환희 가득한 여름
푸른 물 뚝 뚝 흐르는 초록세상이지

봄꽃들 화사한 얼굴 빠끔거리다 사라진다만

묵묵히 꽃대궁 받쳐 올린 아랫도리 힘

그 끗발로 일어서는 초록세상

올곧은 세상은 이렇게 준비되고 완성되나니

화사한 꽃 세상도 풍성한 초록세상도

그저 그렇게 오는 법은 절대로 없나니

무섭게 가위 눌린 바윗돌 가슴

그만 내려놓고서 떨쳐 일어날지어다

다시는 주눅 들지 않을

초록세상을 위하여!

함께 가자 3·24

우리 더운 가슴들 모아 공무원노조 집을 지었고야
6·9 더위 7·28 땡볕 11·4 찬바람 속을
따뜻한 손 마주잡고 한걸음에 달려들어
거친 땅 고르며 집터를 닦았고야
7만 사람 7만 마음 주머니 툴툴 털어
목재 구하고 기왓장 사왔고야
모래자갈에 황토 흙도 퍼왔고야
솜씨 좋은 목수들 반듯한 잣대질에 먹줄 퉁겨가며
큰 집을 지었고야 튼튼하게 지었고야
땀과 눈물 올곧은 마음 모아 반듯하게 지었고야
하늘 땅 인간 조화에 따악 맞는 공무원노조 집을

함께 가자 3·24 집들이
따로국밥 말고 우리라는 이름으로
가서 집안 구석구석 둘러보자
툇마루에도 걸터앉고 문고리도 당겨보자
마당에 내려서서 하늘바라기도 하여보자
길굿 샘굿 부엌굿 뒤안굿 흥겹게 돌아나와
마당놀이 한 판 걸판지게 벌여보자

공무원노조 문패 아래 의젓하게 서보자
집사도 뽑고 상머슴도 뽑아 살림살이 맡기자
큰 방 작은 방 곳간 쓰임새도 알아두자

더운 가슴 뜨거운 손길 모아 세운 집
우리 모두 집주인이라
천이라도 좋고 만이라도 좋을시고
신명을 품고 득달같이 달려가자
한데 모여 힘이 되고 밤새도록 마당 밟아
훼방귀신 물리치자
공무원노조 희망 집은 우리 가쁜 숨결 따라
벌컥벌컥 커가는 집
더운 가슴 가쁜 숨결 온 몸으로 달려가자

농성일기 1

2004년 겨울
공무원노조 임원들
집단 단식농성이 시작되다
잠행 한 달 만에
터놓고 여러 사람을 만나게 되니
배고픔도 달작지근하다
겉옷도 갈아입어 상쾌하다

단식 사흘 째
꿈속에서 아기천사를 보다
젖꼭지 입에 문 채 엄마 품에서
쌔근쌔근 잠이 든 아기천사를

추적추적 겨울비가 내리는 날
호박 부침개 지짐에 막걸리 한 사발
그리고 잔치국수 7인 분을 주문하자는
농담이 오고가다

팔순 노모에서 젖 물림 아기까지
가족들 방문도 이어지다
해쓱해진 아빠의 볼을 쓰다듬으며
12살 딸아이가 훌쩍이다
혈압이 뚝 떨어진 여성 동지는
포도당을 주사하는 비상사태를 만나다

농성 7일 째
머리가 맑아지고 귀가 밝아져
지나가는 차량소음이 무척 크다
잠복 중인 경찰차량의 근무점검 경고음도
두 시간 간격으로 정확히 잡히다

농성 8일 째
다시 흩어져 현장으로
달려나갈 것을 결의하다
사정이 사정인지라
무대포로 굶은 것처럼
대책 없이 또 담을 넘을 것이다

농성일기 2

현대하이스코 순천공장 앞에 깔개 한 장 달랑 깔고 앉다
도로를 질주하는 차 소리가 무척 크다
공장 복지관 개관 경축 현수막이 강풍에 찢어질 듯 팽팽
하다
여직원이 미니스커트를 감싸며 차와 음료를 배달하다
크레인농성 조기진압에 성공한 경찰이
맛있는 차를 내어오지만 사절하다

하루 종일 앉아 있으니 바람이 잘 보이다
연초록 잎 피워 올리는 나무들 엄청 흔들리다
흔들리며 더욱 깊숙이 뿌리를 뻗어간다
우리도 흔들리며 더욱 단단히 뿌리발을 내린다

이틀 째, 일어나 보니 농성창고 유리창이 박살나다
농성장을 습격한 공장경비책임자가 경찰에 의해 잘 보
이도록 연행되다
광주전남 시민사회단체가 비정규직노동자 복직확약서
이행을 촉구하다

사흘 째, 역시 힘이 든 배고픔과 변비증상을 견디며

이슬비 속에 길 건너 작은 동산을 오르다

밭두렁마다 새겨진 하이스코 정규직노동자 아이들 이름의 푯말이 예쁘다

저녁참엔 고향 찾은 민주노동당 황소총장이

비정규직 해고 노동자들 붙들고 눈물 뿌리다

나흘 째, 도로변을 따라 밤사이 컨테이너박스 성벽이 아등바등 쌓여지다

정몽구 회장이 1조원을 사회에 환원한다더니 아직 지켜야 할 것이 많은가 보다

우리 시민대책위 농성조는 바람 숭숭 천막에서 허기져도 의젓하다

빛나는 승리예감에 배고픔도 당당하다

열차는 달려야 한다 그러나

열차는 달려야 한다 그러나
안전하게 달리기 위해 때론 멈춰야 한다
열차는 달려야 한다 그러나
상쾌하게 달리기 위해 때론 멈춰야 한다
열차는 달려야 한다 그러나
더불어 달리기 위해 때론 멈춰야 한다
2006년 3월 초 하루 새벽
철도노동자들이 열차를 세웠다

그들은 왜 질주하는 애마를 멈추어 세웠을까

검은 돈 자루 짐짝사람 내려놓고
반듯한 화물과 사람 함께 싣고 달리고 싶어
그들은 열차를 세웠다
열차는 달려야 한다 그러나
안전하게 달리기 위해 때론 멈춰야 한다

수 조원 빚더미에 게으름멍에 벗어버리고
아침 햇살로 상큼하게 달리고 싶어

그들은 열차를 세웠다
열차는 달려야 한다 그러나
상쾌하게 달리기 위해 때론 멈춰야 한다

고속으로 추락하는 여승무원들 꽃 한숨 내려놓고
정겹게 다숩게 달리고 싶어
그들은 열차를 세웠다
열차는 달려야 한다 그러나
더불어 달리기 위해 때론 멈춰야 한다

열차는 달려야 한다 쭈욱 뻗은 철길 위를
반듯한 화물과 사람을 싣고
안전열차로 생명열차로 달려야 한다
검은 돈벌레 떨거지들 떨쳐버리고
가난도 꿈이 되는 희망열차로 달려야 한다
굴종과 차별 분단과 예속을 뚫고
자주 평등 통일 해방열차로 달려야 한다
땀 흘려 일하는 사람이 대접받는
제대로 된 세상을 향해 무한질주로 달려야 한다

눈물콧물 짜면서도 싱긋 웃는
- 민주노동당전남도지부 출범식에서

무엇이 우리 내닫는 발목 잡아매었을까
무엇이 우리 넘치는 열정 가두었을까
뜻 모은 사람들 앞선 달음질로 저만치 달아나고
사람냄새 나는 열다섯 채 집이
저마다 탄탄하고 멋지게 지어지고 있어라

삼 년의 세월이 흘렀어라
오늘이 오도록 남도의 민중은 벌써
삼십 년 삼백 년을 싸워 왔어라
역사의 고빗길마다 이름 없는 투사가 되어
차돌멩이 민중이 되어 어둠과 억압을 물리치고
질기게 삶의 터전을 지켜왔어라

오늘 비로소 사람 사는 남도 땅에
민중들의 애 터진 소망을 모아
자주 민주 평등 생명의 집짓기를 시작하니
얼씨구 좋을시고 지화자 좋고 좋다

얼마나 목 빼어 고대하던 순간인가

모둠발 뜀뛰며 다져온 집터인가
이제 우리 손잡고 힘주어 다짐하자
어깨 걸고 천지신명 앞에 힘차게 약속하자
민중의 희망 집에 듬직한 일꾼이 되겠노라고

땀 흘린 사람들이 제 몫 찾는 살 만한 집을 위해
하나같이 천 년을 버텨내는 주춧돌 되고
비바람 눈보라 지옥 불길에도 끄떡 않는
기둥이 되고 서까래가 되고
벽돌이 되고 기왓장이 되자

그리하여 사람냄새 가득한 집 완성되는 날
집들이 잔칫상 머리에 수저 달랑 들고
다가서는 손님이 아닌
바람처럼 구름처럼 떠도는 길손이 아닌
눈물콧물 짜면서도 싱긋 웃는
벙글거리는 주인이 되자
얼어터진 손등으로 갈라진 발바닥으로
구부정한 허리로 민중의 살림살이 챙겨가는
희망 집안 일으키는 주인이 되자

장미꽃송이 희망새 되어

현대하이스코 해고노동자 서른 둘 첫 출근길
장미 한 송이씩 선물 받다
꽃 배달부는 비정규직 위해 몸 던진 박 선생님
축하 터널 만들어 악수 손 으스러지고 포옹 깊다
붉은 마음 꽃송이를 무찔러 눈시울 붉어지다
봉긋 물오른 꽃잎에 삼백 구십 날이 참참하다
잎새 한 잎에 비내림 눈보라 길 짜안한 삼보일배
잎새 한 잎에 어린아이 가족들 촉촉한 눈망울이
잎새 한 잎에 크레인 높이 오른 짱짱한 뚝심이
잎새 한 잎에 울어메 주먹밥 짜고 매운 통곡이
잎새 한 잎에 장작불로 이글대던 용사의 기운이
잎새 한 잎에 펄럭이는 깃발 우렁찬 함성이

비정규직 복직노동자 서른 둘 첫 출근길
속 깊은 정에 의연함이 한데 얽혀 가슴 붉어지다
남아있는 사람들 붉은 우정에 떨어지지 않는 걸음
공장 앞에 오뚝 서서 장미꽃대 휘도록 흔들어대다
바다 건너 달려온 아침햇살 쪼-옥 입 맞추다
장미꽃 송이송이 희망새 되어 날아오르다

애틋한 가슴 뜨거운 심장으로
– 민주공무원노조와 중앙행정기관노조 통합에 부쳐

어화둥둥 내 동지여 어화둥둥 내 사랑아
만나고 또 만나야 한다 만나고 또 만나야 했다
본래 둘이 아닌 하나인 것을
본래 한 뿌리 한 둥치였거늘
마왕의 심술 몹쓸 마술에 취해
일백 팔십 긴 긴 날을 돌고 돌아왔구나
그래도 가슴울림 동지사랑 해독제 있어
심장 고동치는 동지의리 명약이 있어
어화둥둥 좋을시고 하나가 되었구려
둘이 하나 한 몸 한 얼이 되었구려

독한 마술에 취해 셋 넷 열 백으로
갈기갈기 찢겨나간 팔뚝들을
울며울며 쓸어 모은 것이 어제였다면
이제 한 호흡 한 외침으로 드높은 하늘을 향해
신명나게 솟구치는 한 묶음의 깃발
부러울 것이 없는 단결의 팔뚝이어라

하지만 아직 여기저기

흩어진 팔뚝들 있어 애절한 반쪽들 있어
흥겨움과 애틋함 뒤범벅이라
어화둥둥 내 사랑 동지들이여
이제 우리 둘이 하나 힘찬 걸음 내디뎠으니
열 백 모아낼 호쾌한 단결걸음 내쳐 달리리

만나고 또 만나야 한다
본래 한 몸 한 뿌리 한 둥치였거늘
우리 가슴 가슴에 단결의 혼불을 놓고
어화둥둥 동지사랑 신바람을 불어넣어
직녀가 견우를 그리워하듯 견우가 직녀를 향해 달려가듯
서로의 가슴에 오작교를 놓고 노둣돌을 놓아
아스라한 은하수 이별의 강을 메워 버리자

보라 남과 북의 만남을
무리지어 휘날리는 민중의 깃발들을
어화둥둥 내 동지여 어화둥둥 내 사랑아
우리 이제 방망이질치는 심장을 가졌나니
내일 말고 바로 오늘 달려가자

조금 후에 말고 바로 지금 달려가자
또 하나 우리들의 반쪽을 향하여
애틋한 가슴으로 뜨거운 심장으로

해금강 편지

어머니
그토록 오고 싶어 하시던 꿈 속의 길을
약간의 번거로움을 거쳐 가볍게 넘어 왔습니다
어제는 천하제일 산에 들어
오묘한 기운 청청한 기상을 가득 채워 왔습니다
깊디깊은 바위 샘 다순 샘물로 마음까지 훈훈하게
데웠습니다

지금은 망망창해
드넓은 바다 품을 향해 섰습니다
두 손 모아잡고 당신께서 보내주실
찬란한 선물을 기다립니다
어둠 저 편에서 당겨 올려질
눈부신 불덩어릴 기다립니다

오늘 맞이하는 아침이 어제와 다름은
우리 모여선 이 자리가 그리고
함께 모은 뜻 품은 소망이
한가지로

아름답기 때문입니다
어머니 갈라터진 손등 움푹 파인 주름살
창자 끊어지는 육십 년 산고의 아픔을 딛고
무지갯빛 기도를 올릴 수 있기 때문입니다

이제 우리 당신의 다습고 너른 가슴을 닮아
가족과 가족 이웃과 이웃 동지와 동지 간에
따순 사랑으로 가득 차오르길 기원합니다

솟구쳐 오른 산봉우리로 날아오르는 바윗돌로
낙락장송, 늘푸른 소나무로
우리 조국, 우뚝하기를 소망합니다

철조망 장벽을 날아 넘나드는 새들처럼
경계의 구분 없이 유유히 헤엄쳐 물 속을 오가는
고기떼처럼 우리 동포 자유롭기를 기도합니다

진실이 거짓을 이기고
의로움이 불의를 누르며

통일이 갈등과 분단을 밀어내는
돈 보다 사람이 귀한 따뜻한 사람세상
정의로운 사회를 만들어 나가길 다짐합니다

그리하여 어머니
당신께서 그토록 애태워 보내주신
다숩고 뜨거운 불덩이 찬란한 빛 뭉치
이글거림 그대로 찬란함 그대로 고이 품고서
싱싱한 아침의 나라 통일조국을 위해
살아나가겠습니다

어머니
사랑합니다
그리고 또 사랑합니다

제3부
시인과 웅변가

보려 하면

보려 하면 보인다
도시 마을에서도

구름다리 건너가는 달
으슥한 골목을 달음질치는 달
죽은 듯한 등걸에서 피어나는 함박 꽃송이들
건듯 불어오는 바람에 꽃비 폴폴 내리는
멀쩡한 벚나무들
제 몸보다 큰 새알을 퐁퐁 낳는
뱁새와 산새들

희한한 일들이
보려 하면 보인다

노동의 추억

달동네 떡거머리 총각시절
젖은 솜뭉치 몸뚱이로
판자문 밀치고 들어서면
연탄아궁이 파란 불꽃이
마감지은 하루를 반겼다

버석버석한 방바닥 틈새로
불기운 함께 가스가 스며들어
새벽 맑은 바람에도 몽롱했고
아침기도를 마치고서야
배고픈 기운 함께 정신이 깨이며
은혜로운 하루가 열렸다

그래도 그 때는 잠이 잘 왔었다

회복

토담 굴방 칙칙하게 너부러진 등짝은
곪고 있더라
퀭한 눈길로 쏘아대던 밉살스런 뒷덜미는
굵어만 가더라

흐르라 흐르란다 꿈틀 뒤척이란다
산다는 건 변하는 거란다
징그럽게 굵던 목덜미도
두어 번 해가 바뀌면 고와지고
모래가루 날리는 도로변
먼지 수북한 나뭇가지도
눈총 자꾸만 들이대자
따스한 눈길 묻어 나더란다

훌 훌 일어서 나오란다
껑 충 튕기쳐 오르란다
6월 이른 장마 끝에
철망담장 타고 오르는 넝쿨장미로
바알갛게 벙글란다

공존

풋고추 주눅 드는 대인동 새벽길
봄바람으로 다가와 소곤거리는 아가씨
노곤하고 고웁다

골목 하나 사이로 우뚝 솟은
공룡 백화점은
자루 째 허욕을 덥석덥석 삼키더니
눈 내리깔고 잠이 들었다

모래 언덕에서

태인교 너머로 노을이 지면서
어둠이 배알도 모래밭을 쓰다듬다
오랜만에
발가락 사일 간질이는 모래의 육질이
참 부드럽다
북풍 바람과 파도에 솟아오른
모래언덕이 넉넉하고 든든하다

어둠이 몰려오자
섬도 물결도 멀어지고
젖은 몸을 육중하게 눕힌
모래언덕을 향해 가만히 물어 본다

내공 단련 깊이와 참음이 얼마큼 해야
너처럼 든든하고 육중한 몸매 가꿀 수 있을까
부드러움마저 덧입혀 드러낼 수 있을까
넉넉함과 포근함 간직할 수 있을까

짐승이 되고 싶다

지리산에 오르면 짐승이 되고 싶다
씻지 않아도 때 타지 않고
매만지지 않고서도
낯바닥 잃어버릴 일 없는
털북숭이 짐승이 되고 싶다

먼동 트이면 어슬렁 일어나고
발바닥 군살 박히도록 먹이 찾아 헤매다
어스름 깔리면 한 몸 눕히기에 넉넉한
바위굴 찾아들어 죽은 듯 잠드는
멍청한 짐승이 되고 싶다

먼 동네 소식 맨 먼저 알아채는
터럭 떨림 분별력일랑 저만치 접어두고
깊은 밤도 외롭지 않는 야무진 짐승이 되고 싶다
먹을거리 부족해도 만족하고 남아도 버릴 일 없는
뒷간 없이도 추하지 않는
단정한 짐승이 되고 싶다

시인과 웅변가

시인은 웅변가를 부러워 합니다

난 마음속에 외쳐대고픈 이야기가 넘쳐나지만
입안에 웅얼거림으로 끝나고 말아
하지만 웅변가는 포효하는 사자처럼
우렁찬 목소리를 마음껏 토해낸단 말이야

웅변가는 시인을 부러워 합니다

내 목소리는 크고 굵어서 산을 울려대지만
말잔치의 장이 파하고 나면 흔적도 없이 스러지지
하지만 시인은 들릴 듯 말 듯 나지막한 노래로
마음 마음을 깊숙이 스며들어
울림을 연달아 만들어 낸단 말이야

그러나 요즘은
허리 곧은 웅변가가 설 수 있는 쓸 만한 무대도
시인의 노래가 스며들 만한 촉촉한 마음 밭도
모두 내려앉고 찌그러져

서로를 부러워하던 일이
옛 이야기가 되었습니다그려

지금은 제 지니고 나온 혼조차도 간수하기 힘든
현란한 영상시대

시인과 웅변가는 한 통속이고 싶어합니다
시인은 조금은 번거로운 무대 위에서
덜 다듬어진 소리로라도 노래하고 싶습니다
웅변가는 초라하고 헐렁한 무대 위에서
낮은 목청이라도 이야기하고 싶습니다

존재의 가벼움을 참아내기 위하여
넋 나간 시대의 어지러움을 이겨내기 위하여

다시 금남로에서

촛불의 힘으로 당당한 나라
대~한~민~국
촛불의 힘으로 우리 민족끼리
통~일~조~국

우방의 이름이로건
보호다 뭐다 협력이다 뭐다
흰수작 개수작 같은 이름이로건
이 땅 허리 꺾인 내 누이의 땅에
이방인의 군대가 들어와 있는 한
총을 메고 거리를 활보하고 있는 한
효순이 미선이를 깔아 죽인 미군탱크가
삼천리 금수강산을 휘젓고 다니는 한
나는 아니다 고개 들어 조국의 하늘 아래
직립보행
자주 독립이 아니다

이 강토에 산과 들
단 한 포기 풀이라도

남의 나라 병사의 군홧발 아래
짓밟히고 있다면
나는 아니다 고개 들어 조국의 하늘을 우러러
떳떳한 인간의 얼굴이 아니다
빨갛게 부끄러운 원숭이 똥구멍이다
빨갛게 부끄러운 원숭이 똥구멍이다

친구야 너와 나 치욕으로 살지 말자
식민지 종속국 배부른 노예로 살지 말자
차라리 주린 창자 자유 민주로 채우며
직립보행
자주 독립 통일의 나라로 일어서자

칼날에 몸통이 긁히고
도끼에 발등이 찍혀도
모진 비바람 눈보라 속에서도
늘 의젓한 우리나라
상수리나무여
물대포에 쓰러지고 방패에 찍혀도

곤봉에 깨어지고 경찰화에 짓밟혀도

당당하고 의젓한 대한민국

애국시민이여

* 고 김남주 열사의 시 「고개들어 조국의 하늘아래」를

  인용한 촛불 문화제 낭송 시

으깨어진 가벼움

진눈깨비 얼어 쌓인 땅 위에
휴대폰을 던지다
네모잡이 눈매들 떨어져 나뒹굴며
호동그레 눈 불 밝히다
간지러운 입김 부어왔던 휴대폰
날개 꺾어 다시금 내동댕이치다
쉬이 쉽게 주고받은 말 꽃송이들
찢기어 사방으로 흩어지다

상한 속을 알알하게 훑어 내리는 통증
아픔 뒤의 후련함

잃었던 자유가 통통 튀어 오르다
얼키설키 실타래 소리혼들 슬그머니 사라지고
으깨어진 가벼움 위로 밤이 묵직이 깊어간다

그물코 연대

승리에 배고픈 사람들은 와서 보라
천리포 겨울바다 모래밭을
육지로 올라온 숭어잡이 그물이
몰아치는 북서풍 모래바람을
어떻게 잠재우는지를

단결에 목마른 사람들은 와서 보라
천리포 겨울바다 모래밭을
기다랗게 늘어선 두 겹 그물이
득달같이 달려드는 모래 알갱이들을
어떻게 무릎 꿇리는지를

연대가 절박한 사람들은 와서 보라
천리포 겨울바다 모래밭을
코에 코를 맞대고 서 있는 그물코들이
애기 모래언덕과 두툼한 모래제방을
그물코 앞뒤로 어떻게 만들어내는지를

시절이 엄혹할수록 승리가 절박할수록

단결과 연대는 사무치게 그리운 법이라
태안 천리포 사람들이 겨울이면
마을 앞 모래밭에 듬성듬성 쇠말뚝을 박고
강건한 그 어깨 위에 그물을 둘러쳐
모래폭풍을 이겨내듯

우리도 그물이 되고 쇠말뚝이 되어
겨울바다 매운바람을 거뜬히 이겨내리
질기고 친숙한 그물코 연대로
굳세고 견결한 쇠말뚝 단결로
튀어오르는 모래바람을 잠재우리

오리농법

시절이 하 수상하니
농민형제들이
아스팔트 농사를 넘어
바다에서도 쌀농사를 짓다
사월 찬 물
오동도 앞바다로
풍덩풍덩 뛰어들어
오리농법을 실험하다
바다오리가 되어
미국 쌀을 물리치다

제4부
금화조

금화조 1

가출

황금부리 참새몸통 잽싼 몸놀림에 소프라노 목청을 자랑하는 금화조 수놈의 돌연한 가출 개구쟁이 녀석에게 아차, 밤하늘을 잘못 열어주어 시무룩한 아들아이 걱정으로 잠을 설친 엄마 짐짓 아무렇지 않은 아빠 이른 아침 가족회의 끝에 다정다감 죄를 물어 금화조 암컷을 가파른 콘크리트 절벽에 매달다 집을 나간 수컷이 놀란 가슴을 웅크려 안고 필경 아파트 벽에 매달려 어둔 밤을 지새웠으리라 짐작하며

한눈팔기

수컷 홀로 된 두려움에 떨며 깜박 잠이 들었다가 습관처럼 눈을 뜨니 가없는 하늘 위로 퍼져나는 붉은 빛 어리벙벙한 아침이다 아파트 절벽에 매달려 두리번거리는 중에 들려오는 노래 소리, 오늘따라 유난스레 크고도 애절한 반쪽의 노래가 아닌가 이슬 젖은 날개를 추슬러 파다닥 날아보나 소리 옆이 아니로다 아, 나의 반쪽도 내 노래를 들었으련 솟구쳐 오를 찰나 "어, 여기다" 주인님의 외침에 후다닥 도망치다 이왕에 내뺀 몸 세상구경이나 하자꾸나

하고서 차 위에 내려앉다 웬 조개모양 괴물들이 저리도 많은지 어라, 집채만한 조개들이 움직이네 소리가 요란쿠나 아침이면 주인님께 바치는 우리들의 노래를 방해하는 놈들이 바로 저 녀석들이로다 자리를 옮겨 담장에도 앉아보고 까슬까슬한 나뭇잎 새에도 앉아보고 통 통 걸음마로 경비초소 지붕을 건너 빨래 줄에 내려앉다 푸드득 정신이 들었고야

귀가

참새들 재잘대며 시리도록 푸른 하늘을 잘도 날아오른다만 본디 우리는 스물 두 평 한정된 하늘에 길들여졌기로 몇 차례 날개짓에도 지쳐빠진 난 도망자 좁쌀 알갱이로 채워둔 위장은 비운 지 이미 오래고 울림판이 달라붙어 반쪽을 찾는 노래 부름도 어렵구나 아으, 그리워라 베란다 작은 숲과 빨래널이 횟대 선반 틈새와 힘겹게 물어 나르던 난 화분의 돌멩이들 공주님의 앙칼진 목소리와 주인님의 부드러운 꾸짖음 그러나 창문에서 떨어져 내릴 때에 나는 길눈을 잃고 말았어 아파트 앞뒤를 돌며 유리창 구멍구멍을 탐색해 보지만 어지럼증만 더해가누나 이 때에 들려오

는 반쪽의 소리, 조롱에 들려서 임 마중을 나오다니! 한달
음에 달려가 볼 비벼댈 일이지만 되돌아가는 길도 연습이
필요해라 몇 차례 눈 맞춤과 절절한 노래 주고받음 끝에
복도로 날아들어 주인님 품 안에 안기다

황소

두터운 입술
부릅뜬 눈
불끈거리는 어깨
출렁이는 목주름
사자를 혼내킨
우뚝한 뿔

뒤편 다리 사이엔
쇠북처럼 묵직한
추를 달고서
균형 잡힌 몸매를
뽐내는구나

금화조 2

실종

감쪽같이 사라져 버린 금화조 수컷
바싹 야윈 몸 이끌어 바깥 하늘로 날아올랐을 거야
마지막 나래를 힘차게 파닥이다 숨 멎었을 거야
초라한 주검 보이기 싫어 살며시 몸 빼냈을 거야

스물 두 평 하늘마저 거두어들인 것이 미안쿠나
새 조롱에 가두어 베란다에 내친 이후
잽싼 몸놀림 낭랑한 목청 보고 듣기 어렵더니
시무룩한 고갯짓에 날마다 여위더니
이승 언덕을 훌쩍 넘어가 버렸구나

돌아오지 못할 길 떠나간 줄 아는지
애타게 불러대던 짝꿍도 소리를 잃는구나
잘 가렴, 아이야
이담 세상에설랑 자유로운 몸으로 환생하여
실컷 노래하고 호쾌하게 날아 오르렴

동반

며칠 후

암컷의 주검이

새장 안에서 발견되었다

폼페이에 오거든

지중해 상쾌한 바닷바람을 타고
육중한 바위 문을 지나 폼페이에 오거든
중무장 보병 로마 병사들이여
완벽한 군장을 풀어버리라
정교한 치장의 아테네인들이여
예리한 펜과 조각칼을 던져버리라
다만
화려한 도시의 중앙에 자리한
제우스와 아폴로 신을 위해
약간의 물품과 예절은 가져오라

그러나 정중함과 우아함도 곧장 벗어버리라
이곳에는
수그린 입맛을 돋우는 별난 음식과
눈과 귀를 홀리는 물품들이 거리에 그득하니
아피아가도의 먼지와 지중해의 소금기를
말끔히 씻어줄 온천수를 뎁히느라
베수비오 화산이 연일 꿈틀대며 콧김을 내뿜나니
다리가 뻐근토록 거리를 쏘다니다

별난 음식으로 배부르거든
땀범벅 먼지범벅 몸뚱이를
온천수에 담근 후 뜨끈한 돌침대에 누워
하루 밤낮을 잠들 것이라

말과 마차는 큰 길에 매어두고
몸뚱아리만 매끄럽게 빠져들어 올 일이야
혹여 술이 거나해도
길이 고르고 반듯하니
넘어져 무르팍 으깨어질 염려 붙들어 매어두고
간혹 은화 주머니를 더듬어서
도시의 미인들을 실망시키지 말 일이다

전진하는 것은 흔들린다

좌우로 덜컹거리며 달리는 열차
앞뒤로 출렁거리며 달리는 버스
구름 속을 뚫고 내달리는 비행기
바람을 가르며 날아가는 화살
모두 흔들리며 나아간다

시냇물을 거스르는 송사리
땅 위를 기어가는 지렁이
땅 속을 뒤집는 두더지
코뿔소와 얼룩말의 내달음
돌고래의 솟구침
갈매기의 비상
마라토너의 팔뚝질
모두 흔들며 나아간다

대저 흔들림 없이 전진하는 것은 없다
가슴 속 떨림 없이
성숙해지는 마음은 없다
바람 맞으며 뿌리 발 내리는

풀과 나무 또한 흔들리며 성장한다
전진하는 것은
성장하는 것들은
모두 흔들리며 나아간다

앞 뒤 좌 우 높낮이를
스스로 분별하며
빠르고
조화롭게
균형을 맞춰
흔들리며 전진한다

있지요 사무장님

있지요, 사무장님
3구 마을 풀쌔기 지도자는 사업비 적다고 툭 툭 쏘아부
치기만 하지 도무지 일을 하지 않습니다
사무장, 귓불 매만지며
거시기 본심은 괜찮은 사람이니 잘 채근해 봅시다
있지요, 사무장님
아무래도 새마을 사업 망치겠습니다
거시기 그럴 수는 없제 같이 한 번 만나 봅시다

다음 날
있지요, 사무장님
2구 마을 하수구가 막혀 난리가 났습니다
거시기 통반장님들 울력 좀 해 달라고 하지요
있지요, 사무장님
물이 마당으로 넘어들어 온다고 아우성입니다
거시기 논에 있는 양수기 찾아와서
부지런히 물을 푸도록 하지요

그 다음 날
있지요, 사무장님

1구 마을 해안도로에 땅덩이가 새끼를 쳤답니다
거시기 못 말릴 사람들이군 바로 나가 봅시다
있지요, 사무장님
흙 실은 덤프가 겁나게 많이 들어오고 있답니다
거시기 중지시키라고 해요 카메라 들고 나갈 테니
매립을 당장 중지하라고 해요 행정명령이라고 해요

그 다음 그 다음 날
있지요, 사무장님
5구 마을에서 아이들이 물에 빠졌는데 아무리 찾아도
보이지 않는답니다
거시기 뉘 집 귀한 아이들일까
있지요, 사무장님
형제가 빠졌는데 동생은 나왔답니다
거참 우째 이런 일이 몇 시경에 그랬을까요

일 년 후
사무장님 뭉툭한 귓불이 부어올라
병원 치료를 받았습니다

미켈란젤로에게

교황을 물리친 우뚝한 콧대
대리석 바윗돌을 떡 주무르듯 주무른
부드러운 손을 가진 황소고집 마술사여

꽃의 도시 피렌체에서 메디치 가문의 보살핌으로
차고 넘치는 혼불 맘껏 사루다 혼백이 사윈
행운의 사내여

골 깊은 주름살에 쭈그렁 볼따구니
축 처진 모가지에 길게 빼문 혓바닥
혼이 빠져나간 자화상으로 성당 벽에 매달린
불쌍한 악마여

우리 어찌하면
예쁘장한 혼불 사르다가 목숨줄 놓을 때
그대 긴 혀처럼 늘어질 수 있을까
측은한 악마의 모습으로
저 세상에 도달할 수 있을까

풍경

어둑한
하늘가
목덜미만
내어놓은 산 위에
삼태성이 위태롭다

바람이
드세고
연탄불은
타던 대로

아이들은 내일 또
그림을 그릴 거다
지붕에
빗대어 앉은
눈 달린
산을

물총새와 물총고기

물총새
가벼이 날아들어
뾰쪽하고 긴 부리로
물 속 세상을
잘도 쪼아대고

물총고기
물속에 숨어
바깥세상을
어렵사리 겨냥한다

물총새의 무기는
부지런한 걸음걸이와 길쭉한 부리
물총고기의 무기는
은밀한 침투와 정확한 조준
그리고 떼지은 동시다발 사격술

휴식

철철 흘러넘치는 물길 따라
탐진 강변을 거닐다
강둑에 늘어선 느티나무 가죽나무
옥수수 호박넝쿨에 눈길 들이대다
장흥읍 남외슈퍼 앞 평상에 벌여진
서늘한 장기판 기웃거리다

백 년 묵은 가죽나무 등걸 베고 누워
막걸리 잠에 취한 농부님
갓난 아이 보듬고서 물가를 하늘거리는 새댁
물 뚝방을 거스르다 쭈르르르 미끌리는
은어떼들 모두 정겹다

끊어진 다리목 아래에선
사내아이 가시내들 뒤섞여
뺨 시계로 석양을 재어가며
물장구 자맥질에
배가 고프다

화개골 십리벚꽃

화개골 십리벚꽃 화들짝 웃는 날엔
다리 뻑뻑하도록 걸어 지칠 일이다
발발거리는 딱정벌레 멀찌감치 치워놓고서
벚꽃 환한 낮바닥 사일
나울나울 날아다닐 일이다

몽실몽실 피어오르는
꽃구름에 취해 어질거리면
꽃가지 사이로 물결치는
청보리 싱싱한 몸매에
핏발선 눈 식힐 일이다

딱정벌레 답답한 차 안에서
잠자리 눈망울 떼룩떼룩 굴리지 말고
문 부수고 나와 한 길 가득 차지한 채
다리가 뻑뻑하도록 걸어 지칠 일이다
아는 듯 모르는 듯 어깨 부벼대며
모두들 정다울 일이다

똥을 누며

화개골 벚꽃 눈부신 미소와 눈짓에 팔려
아랫배 반란을 뒤늦게야 눈치채다
급히 찾아든 외딴집 사립문 밖 변소 간
엉거주춤 허리춤 풀고 앉아 따스한 흙냄새 맡다
대발 엮어 흙 마름한 벽 틈새로 가지런히 놓인
갈대빗자루 지팡이 한 켤레 흰 고무신에 묻어나는
할아범 단아한 성품을 훔치다

반 뼘만큼 한 판자조각 똥 내림 구멍 옹색하지만
차암 다숩게 똥을 누며 생각한다
보리는 왜 이리 푸르고 개나린 노오랗고 벚꽃은 눈부신
지를

초록이 짙어야 씨알을 수북이 매달고
초록세상까지는 눈부시게 희거나 붉거나 노오래야
뭇 연인들의 가슴 훔쳐내는 꽃이 되고
벌 나비 도움 받아 암수가 하나될 수 있다는
사실을 가까스로 깨득하며
뻑뻑한 정강이에 힘을 주어
아랫배에 꼿꼿했던 놈들을 후줄근히 눕혀버린다

화개골 콩잎 향

늦가을 저녁 참 털보 기주형네 통나무집엘 갔더니
울보술꾼 어깨 걸고 흥알거리며 들어섰더니
털보형네 형수 노오란 호박전과 함께
된장독에 묻어둔 콩잎 부리나케 내어오더라
막걸리 곱빼기 잔으로 들이키며
콩잎 한 입 물었더니
거무스레한 산 흙과 붉은 치자 꽃 한 줌 버무린
된장빵 콩잎 향 콧전을 싸아하게 두들기더라
뱃속에서 마저 향 맑은 바람 풀무질해 대더라

대체나 화개골에선 된장도 콩잎도
향기로운 꽃이 되고 마는 것인가

봄

수채화 물감 번져나듯
섬진강변에 연둣빛
시나브로 번져나다
산 벚
강 벚
길 벚
서로 시샘하며
꽃잎 흩날리다

흙길에 앉아
눈높이를 맞추어
강줄기를 바라보는데
조수미의 '사랑하는 나의 아버지' 가
감미롭게 흐르다
봄풀은
수줍은 하품과 기지개를
쏘가리들에게 들키다

해돋이

남해 금산 짙은 바다안개 속에서
잘 익은 홍시 하나 떠오르다

진홍색 물감 하늘자락을 한동안 색칠하더니
한 줄기 밝은 빛으로 길 열어제치고
살긋이 솟아오르다
때맞추어 영물 까마귀들 산봉우리로
떼 지어 날아들어 해 바람 일으키다

연꽃 모양 접시구름 위로 살긋 떠오른 홍시
꼭지로부터 맑디맑은 한 점 빛 스미더니
진홍색 잘 익은 홍시
시나브로 빛 뭉치로 변하다

해님 당신은 오늘도
천지간에 붉은 빛 함빡 나누어주고
하루 종일 핼쓱 하겠다

운주사 와불

잘난 세상
꼬락서니 보기 싫어
벌렁 누워버렸다
누운 모양새 비뚜름하고 머리통 낮아도
고쳐 누울 생각하지 않음은
푸른 이슬 함뿍 내리는 밤이면
북두칠성에 눈 맞춤하기
따악 좋기 때문이다

진종일 먼지 속에서 구경꾼들의
갸웃거림과 희희덕거림
건방지게 들이미는 엉덩이들 마다않고
천연덕스레 누워 있음은
휘늘어진 소나무 가지 사이로
가끔은 달덩이 둥싯둥싯 떠오르고
함께 누운 동자승 마음 밭이
징하게도 고웁기 때문이다

백담사

켜켜이 쌓인 낙엽들이 이부자릴 만들어
한겨울 벗은 나무를 오롯이 키워내는 내설악
돌아돌아 백담사엘 갔더니
글쎄 산 구경 물 구경 호기심 반으로
몹쓸 양반 반성 수도했다는 백담사엘 갔더니
만해 스님 시퍼렇게 살아계시더라
솟구친 머리
외로 틀어 꽉 다문 입
꼿꼿한 눈매의 만해 스님
시퍼렇게 쏘아보시더니
정신 차려, 이눔들아 하시더라
글쎄 구경반 호기심 반으로 백담사를 찾았더니
이순신으로 사공삼고 을지문덕으로 마부삼아
스러져가는 조선천지 지켜내겠다던
만해 선생 어록 "땅" 이마를 치더라

원효대사

삼층 모전석탑 우뚝 버틴 분황사에
날렵한 몸매에 허리 부드러운 스님 있어
절간 문지방을 똑 분질러 낮추자
서라벌 아이들 시시때때로 모여들다

절집 한 켠 우리네 꽃동산에
도라지 채송화 민들레 도란도란 웃음 웃고
아이들은 비석치기 제기차기 땅뺏기 놀이로
해지는 줄 모르다

천 년의 세월을
야무진 담장에 갇혀 쓸쓸하던 분황사에
부드러운 허리에 걸음 잰 스님 있어
훌러덩 훌러덩 담장 걷어내자
젊은이 노인네 꼬마동이 할 것 없이
원효대사 동무되어 반가이 찾아들다

아, 천 년의 세월이 어제인 듯 정다워라
자루 빠진 도끼로 하늘기둥을 잘라 버리신 임

신새벽 술을 토하고 없던 길을 곧잘 가시던 임
저자거리에서 거침없이 노래하고 춤추시던 임
오늘은 서녘하늘 붉은 구름 위에 걸터앉아
잔잔히 웃으시다

노스님 터진 손

중흥사 노스님
삽질하던 손으로
차 달여 내어 오시다
일 마당에 둘러서서
절집 이야기 나누던 중
보드라운 봄날이 다가도록
삽자루 잡은 터진 손 안쓰러워라
노스님 갈라진 손 덥석 감싸면서
아니 이 봄날에 기름이라도 바르시지
노스님 웃으시며
겨우내 단련되어 아프지 않아
밥 지을라치면 손 기름이 불편스러워서

한 걸음 물러서서
퉁퉁 부어올라 피 어룽진 손등 보며
동백기름 잘 먹은
대웅전 기둥 한 번 쳐다보고
손등 한 번 또 보고
지장전 지붕 쳐다 보고

손등 한 번 또 보고
마당 석축 쳐다보고
천 년 석탑 올려다 보고
스님 한 번 올려다 보고

마지막 용기 내어 스님 손등 다시보자
노스님 갈라진 손등 피어룽진 골짝에서
스님 생전 소망 다시 모실 쌍사자 석등
불현듯 걸어 나와
천 년 석탑 옆 제 자리에 자리하다

초록세상으로

초판1쇄 찍은 날 2008년 9월 3일
초판1쇄 펴낸 날 2008년 9월 8일

지은이 민점기
펴낸이 송광룡
펴낸곳 문학들
주 소 503-821 광주광역시 남구 양림동 24-18번지 2층
전 화 062-651-6968
팩 스 062-651-9690
메 일 munhakdle@hanmail.net
등 록 2005년 8월 24일 제2005 1-2호

값 8,000원
ISBN 978-89-92680-18-9 03810